JN117532

ガリバー旅行記
三百年目の真実

田村 明子

明窓出版

ガリバー旅行記　三百年目の真実　——目次——

はじめに

　夏目漱石はイギリスでの研修旅行中に『ガリバー旅行記』を読み、「第一級の文学作品」と絶賛した。和漢洋の多くの書物に親しんでいた漱石の讃辞に動かされた四十代後半、私も読み始めるも、長い間の不勉強と力不足で中断のくり返しであった。

　『ガリバー旅行記』中の内容に関しては、当時のイギリス、ヨーロッパの情勢まで知らねばならなかった。スウィフトが、何をどのように比喩や暗喩のメスを入れているのかも、教えられねばわからぬものだった。

　作品は決して、三百年前のものとしておけなかった。現代でも、いや、現代だからこそ適用されねばならないようである。

　文中でスウィフトが度々強調している"Public Good"（人類の裨益）のためにとの熱い思いも伝わってくる。

　多くのスウィフト研究者の方々からバトンリレーを受けながらも、遅い、鈍い歩みしかできなかった。

　しかし、スウィフトに対する誤解を訂正することができ、また新しい気づきもあり、やはり『ガリバー旅行記』は、第一級の文学作品であった。

『ガリバー旅行記』は、ジョナサン・スウィフトにより、一七二六年に出版された。

スウィフトの簡単な経歴について

ジョナサン・スウィフト（一六六七 ～ 一七四五）

アイルランドのダブリン生まれ。父親はスウィフト出生の七ヶ月前に戦死していた。

母親はスウィフト（三歳）を伯父の許に托し、イングランドに戻って再出発するしかなかった。（スウィフトの幼児期の記憶は曖昧であるとのこと）

ダブリンのトリニティカレッジを卒業後、二十二歳でイングランドの母を訪問している。そして、母方の遠縁のウィリアム・テンプル氏の事務所で、秘書として働き始める。

スウィフトには持病（メニエル病）があったため、一年間アイルランドで休養し、再びイングランドへ。

二十四歳で、オクスフォード大学を卒業し就職活動をするが、全てうまくゆかなかった。

事務所ではテンプル氏の信頼を得て、しばしば彼の代役（会議出席等）をこなした。

二十九歳の時、『書物戦争』、『桶物語』を匿名で発表する（当初から多才、奇才ぶりの発揮された作品だったという）。

三十二歳の時、テンプル氏の死により、彼の自伝発行の業務を引き継ごうとしたが、一族の反対により断念した。職探しは

ずっと続けられていた。

　四十二歳で、初の定職に就くことができた。アイルランド、ダブリン郊外のセント・パトリック教会の司祭職であった（わずか十五名の教会員の指導）。

　教会堂の修復作業や、近くの公園の植樹、オランダ方式の運河建設にも尽力した。イングランドの友人たちとの交流も頻繁に行われた。

　彼は、トーリー党からホイッグ党への転向を含め、常に主流ではない立場であった。

　セント・パトリック教会も、アイルランドの主流（カトリック）ではなかった。当時、政権交代後には、前勢力のトップたちはロンドン塔に幽閉され、殺害されるという時代であった。

　スウィフトの尊敬するトマス・モア（司祭、『ユートピア』の著者）のロンドン塔での刑死事件には、大きな衝撃を受けていたという。

　しかし、スウィフトはイングランド当局によるアイルランドへの差別（同価値のコインの材質を、アイルランドで流通するものは低価値の材質のもので代用させた）には強く抗議をし、是正させることに成功する等、アイルランドでは正義の人と慕われた。

　五十九歳の時、司祭を終える年に『ガリバー旅行記』を出版した。

　六十代からは、子供の教育に最適な寄宿舎兼学校の制度づくりや、学校建設に尽力した。

七十代半ばにはベッド生活となり、七十九歳で亡くなる。

　『ガリバー旅行記』は、主人公レミュエル・ガリバーの十六年七ヶ月間の体験記である。
　その内容は、古い書物に関すること、先人たちとのかかわり、政治情勢、植民地政策、宗教対立、国家間の紛争、人間関係の歪みがもたらす不条理、健康問題等々……多岐にわたっている。
　スウィフトは『ガリバー旅行記』を“Public Good”（人類の裨益）のために書いたと作品中で七回も強調している。人々に彼の思いを伝えるためには、本文中に一箇所でも間違いなどあってはならないと、スウィフトは正確であることにこだわった。
　「ロンドン塔送り」も避けねばならなかった。そのため、特定の国家、人物と受け取られないように、架空の国、国王、政治家を登場させねばならなかった（小人の国、巨人の国等）。念には念を入れて、『これは現在のイギリスのことではない』との断り書きまで見られる。
　レミュエル・ガリバーも実在の人物（船医〔外科医〕、作家）らしく、入念な経歴づくりまでしている。
　『ガリバー旅行記』は決して子供向けの物語ではなかった。三百年後の現代の私たちへの警鐘が、至るところに見られる。

(一）『ガリバー旅行記』の正確さについて

『ガリバー旅行記』においてしばしば強調されている表現。

・I would strictly adhere to truth.
（和訳：私は真実を厳守します）　　　（第四部　十二章より）
・Truth appeared so amiable to me, that I determined upon sacrificing every thing to it.
（和訳：真実は私にとって好意的なものだったので、全てを犠牲にすることにした）　　　（第四部　七章より）

具体的に二例で眺めてみたい。

例①　ガリバーの訪問地の経度・緯度は正確である
一六七七年（スウィフト八歳時）、ロンドンにグリニッジ天文台が設置された。スウィフトの信頼する友人、ヘルマンモール氏は、オランダ人で、本文中に同時代の人として、なんと実名で登場する。長くロンドンに滞在し、ロンドンを経度ゼロの基準とする『世界地図』を作製した人。スウィフト自身もこの作業の他、天体観測にもかかわったらしいのである（地図作製中のものと思われる引用が次）。

スウィフトは世界地図作りにもかかわっていたので、ヘルマンモール氏に「全ての地名の位置が東へ３度ずれているので

は？」との忠言までしていたようである‼（第四部　十一章より）

・This confirmed me in the opinion I have long entertained, that the maps and charts place this country at least three degrees more to the east than it really is; which thought I communicated many years ago to my worthy friend Mr. Herman Moll, and gave him my reasons for it, although he hath rather chosen to follow other authors.

　ガリバー（スウィフト）の時代、日本は江戸時代で、二五〇年もの間、鎖国政策が布かれていた。オランダ人という設定のガリバーは、驚くことに五日間かけて、江戸から長崎まで移動していた。彼は『踏絵』の検査を避ける交渉もしている。
　鎖国時代の日本の状況は、当時のヨーロッパによく知られていたらしい。

・The continent of which this kingdom is a part, extends itself, as I have reason to believe, eastward to that unknown tract of America, westward of California, and north to the Pacific Ocean, which is not above an hundred and fifty miles from Lagado; where there is a good port, and much commerce with the great island of Luggnagg, situated to the north-west about 29 degrees north latitude and 140 longitude.

This island of Luggnagg stands south eastwards of Japan, about an hundred leagues distant. There is a strict alliance between the Japanese emperor, and the King of Luggnagg, which affords frequent opportunities of sailing from one island to the other.

（第三部　七章より）

　ガリバーは日本へ立ち寄る前に、ある島へ留まったという。そこは「東経一四〇度、北緯二九度近く」とある。地図上には、そこに「鳥島」があった。

地図に関して

　日本地図を最初に作製したのは、江戸時代（鎖国中）の伊能忠敬（一七四五〜一八一八）だった。彼は、自ら考案した計測器で日本全国（北海道北西部は、当時、蝦夷地の若き探検家であった間宮林蔵〔一七七五〜一八四四〕が測量に協力）の海岸線を歩き、『大日本沿海輿地全図』を完成させた。鎖国中であったため、この地図は禁輸品であった（計測には十七年を要した！）。

　一八二八年、この地図を海外へ持ち帰ろうとして起きたのが、シーボルト事件である（シーボルトの地図所持を江戸幕府に密告したのは、間宮林蔵）。

　しかし、事件の百年以上も前に世界地図は完成しており、日本列島の他、伊豆諸島の「鳥島」の位置まで知られていたのだった。シーボルトの地図持ち出しには何ら他意がなく、シーボル

ト自身も大事件とは思わず、事件後も彼は三回訪日したという。

「鳥島」に関して

ガリバー訪日の百年後の、やはり鎖国中の実話である。

土佐出身の漁師五名が遭難する事件が起きた。彼らは漁船を失い、やっと鳥島に泳ぎ着いた。この島ではアホウドリを捕えてその肉を裂き、天日干しにしたものが唯一の食料であったという。

数ヶ月後、アメリカの鯨船が偶然この島に立ち寄り、五名は助けられた。この時、彼らは初めて船長から世界地図を見せられた。そして、鎖国中の日本がいかに小さな島国であるかを知らされ、驚いたという。

その後、四名はハワイ島で再出発することになったが、一番年少であった十五歳の万次郎だけは、ホイットフィールド船長の養子としてアメリカで暮らすことになった。万次郎は一年間、小学校四年生として学び、翌年からは、船員になるための専門学校へ通った。そして海図、航海術、造船技術等を学び、船長の下で働いた。

万次郎はアメリカの自由主義、男女平等思想になじんだが、人種差別も体験した（船長に連れられて出かけたキリスト教会は、万次郎の肌の色を理由に、入会を断ったという。船長は、肌の色で万次郎を差別しない宗派の教会へと移った）。

船長は、万次郎の日本帰還についても考えていた。万次郎は当時ゴールドラッシュに沸いていた金坑でも働き、帰還のため

の船も購入した。船長とかつて話し合った、日本の鎖国政策の弊害のこともあった。

　万次郎はハワイの四名の先輩も帰国へと誘った。二名は万次郎の船に合流したが、一名は既に死亡しており、もう一名はハワイで結婚し、ハワイ在留を望んだという。

　鎖国中だったため、帰国の第一目的地は琉球王国であった。厳しい取り調べを受けつつ、先ず薩摩へ入った。次の長崎では踏絵の取り調べを受けた。土佐の故郷へ戻れたのは、琉球入りから七ヶ月目だった。

　やがてアメリカ船が浦賀沖に来航して、日本の開港を迫る事件が起き、万次郎は江戸幕府より通訳要員として取り立てられることになった。武士として名字（中浜姓）と刀剣を与えられ、日本の開港、鎖国政策廃止に尽力した。また、通訳として文化使節団に同行して活躍した。しかし、万次郎の活躍を快く思わない同僚も多く、彼は指導的立場に立つことは極力ひかえ、ひたすら内にこもり、唯一英語の指導のみに専念した。

　欧州への文化使節団としての帰路、万次郎はアメリカの恩人ホイットフィールド船長に会いに行く。何と二十年ぶりの再会であったという（再会後の二人の記念写真が残っている）。

　万次郎は、船長へのお礼に刀剣を贈ったという。船長家族と中浜家とは、以来深い親交関係でつながっているという（不幸な第二次世界大戦中のこと。船長に縁のある兵士が軍艦勤務になった。だが彼は「万次郎の国に砲撃を加えるわけにはゆかない」と、おそらく船酔い等の理由で下船し、他の勤務に移った

という）。

　真の国交とは、このような個人と個人との交わりから築かれるものらしい。何事も個人の、たった一人であっても正しい温情のバトンタッチから始まることに希望を持ちたいと思う。

　例②　天文学上の貢献も大きかった

・For, although their largest telescopes do not exceed three feat, they magnify much more than those of hundred with us, and show the stars with greater clearness. This advantage hath enabled them to extend their discoveries much father than our astronomers in Europe, they have made a catalogue of ten thousand fixed stars, whereas the largest of ours do not contain above one third part of that number.

They have likewise discovered two lesser stars, or satellites, which revolve about Mars; whereof the innermost is distant from the center of the primary planet exactly three of his diameters, and the outermost five; the farmer revolves in the space of ten hours, and the latter in twenty one and an half; so that the squares of their periodical time, are very near in the same proportion with the cubes of their distance from the center of Mars; which evidently shows them to be governed by the same law of gravitation, that influences the other heavenly bodies.

They have observed ninety-three different comets, and settled their periods with great exactness.

If this be true, (and they affirm it with great confidence) it is much to be wished that their observations were made public; whereby the theory of comet, which at present is very lame and defective, might be brought to the same perfection with other parts of astronomy.

（第三部　三章より）

この学術論文が広く公開され、ぜひ見直されてほしいものだ。

火星の二つの衛星の発見に関して、歴史年表には次のような記載がある。

『一八七七年、アメリカ人、アサフ・ホールにより、火星に二つの衛星があることが確認された』

しかし、引用した『ガリバー旅行記』によれば、アサフ・ホールより一五〇年以上も前に、イギリスのスウィフトらによって既に発見されていたことになる。

だとすると、年表は訂正されなければならない?!

『ガリバー旅行記』の正確さは感じとれても、深い部分では消化不良であった。

そんな時、夢（※）で『リルケ』という三文字が示された。

（※）夢は私が個人的に信頼しているもの。三十代に鑪幹八郎氏（心理学者、カウンセラー、『夢分析入門』他の著者）のカウンセリング治療を受診して以来、夢を第六感、気づきとして、日常生活に利用するように努めている。

リルケ（一八七五〜一九二五）

〔オーストリア生まれ、詩人〕

　幼少時に両親が離婚したため、軍人の父の許で過ごす。孤独な日々であったという。

　十歳で寄宿舎付き軍人養成学校に入学。教練を重視する学校生活になじめず、十六歳で心身共に挫折し、退学を余儀なくされる。その後、養生目的で小旅行などして健康回復に努めたという。

　この頃、ロシア旅行中に、リルケにとって大きな体験があった。リルケは夜、一人でヴォルガ河畔を目の前にしていた。その時、そこへ一頭の白馬が全速力で走り込んできた。

　雨の中を走ったためか、長時間の走りであったためか、白馬の全身から湯気が立ちのぼっていた。また、足元には引きちぎられた縄が巻き付いており、縄には板切れも残っていた。どうやら白馬は脱走して来たらしかった。

　馬はリルケ同様、静かな河面を前にして、ゆっくりとくつろぎ始めた。

　陸軍学校を退学するしかなかったリルケは、絶望の中、目前の白馬と完全に一つになることができた。そして、白馬と周囲の大自然から、大きな励ましの合図のようなものを得た。

　この時の体験を、リルケは次のように書いている。

　『夜、一人、自然、という三条件の中、

　　冴えた鐘のような音声となって告げてくる

　　ロシアの時間が語るところに、

ひたすら耳を傾けながら……
そのとき日脚は傾き、
澄みとおる鐘のひびきとなって、
私の心を打つ
私の五官はふるえる
"できる‼"
そう感じて、私はついに
造形のひとときをとらえる』

　絶望の中にあったリルケを励ました、冴えた鐘のような音声。これがリルケの詩となり、以後、彼はこの音声との交信をつづけた。
　その後、リルケは新たに商業学校に入学し、詩作を始めた。
　卒業後には、ロダンの芸風に感動し、彼に師事した。ここで芸術家（彫刻家）の女性と結婚した。
　しかし、リルケはロシア旅行中の体験が忘れられなかった。
　夜、一人、自然（河面）を前にしての『鐘』（この『鐘』のことを『世界内部空間』とも表現している）を目指したかったのである。
　世界外部空間は、私たちが五感だけを利用して関わっているものである。『世界内部空間』は第六感のみで感じ得る世界という。
　リルケによれば、第六感の世界を感じるには、三つの条件が不可欠だという。数多くの事象がストップしている夜であり、

他の人の思惑の介入しない一人きりでいる時であり、自然に囲まれている時であるという。

　リルケはロダンとの仕事をあきらめ、妻とも距離を置いた。そして、山荘を借り、一人暮らしに徹することにした。山荘の周辺を歩くのも日課の一つだった。

　作品が詩集としてまとまると、出版のために町へ戻ったので、人々との交流はできた。妻は一人彫刻をつづけた。「リルケの胸像」という作品も残されている。

　妻や友人たちとの交流は、文通であった。

　そして、五十一歳で亡くなった。

　リルケの詩は未消化であったが、さらなる夢を見た。『リルケ・老犬』とのことだったので、リルケの詩に『老犬』という詩があるらしいと捜すが、見つからなかった。

　そこで、難解な詩よりもよかろうと『リルケ書簡集』に移った。すると、次のような文に出合った。

　「『オルフォイスへのソネット（第一集）』の十六歌が、一匹の犬に向けられた詩と心得ておかれるのも、場合によっては良いことです。わたしは意識的にそれに註でもつければ、われわれのなかへちょうどあるがままにそっくり取り込もうとしたこの被造物を、危うくまた閉め出すか、あるいは隔離するような印象を与えてしまうからです。（この詩で語りかけられているのが犬だと言い当てられましょうか？……）」

指定された詩について

詩の生まれたいきさつは、こうであった。

リルケが一人、山林を歩いていたとき、山道の少し奥まったところに、一匹の老犬が凹地にうずくまるようにして死を待っているのを見かけた。その姿に、リルケは立ち尽くす。彼は犬が大好きであった。

老犬の姿から、リルケは遠いギリシャの時代、捨てられたワイン樽を住処に暮らしていた、哲人ディオゲネスのことを思いめぐらすに至った。するとそこへ、リルケの交信している『世界内部空間』（※）から、一方的に詩が降りそそぐようにやって来たというのだ。

（※）『世界内部空間』について。

これも夢で示された。夢の中で私は、地球規模とも思われる、巨大な球の裏側（内部）に立っていた。周囲に見えるのは、みな一抱えもある太い幹の木ばかり。それぞれが、球の中心部に向かって真っ直ぐに伸びている。先端部分は高くて見通せないが、どの木もみな同じ高さであることがわかって（知らされて）いた。

球の中心部分は、目もくらむほどの眩しい光源であった。中心部分から外へ離れるにつれ、光の粒子は少なくなっていた。手の届く高さには、光の粒子はなかった。この光源の治めている巨大な球の内部が、『世界内部空間』であるという（P43図参照）。

古代ギリシャをはじめ、昔は多神教が中心であった。太陽神や、自然全てを神とする等、現在の一神教とは違っていた。

　リルケはキリスト教（一神教）であったが、友人（牧師）との書簡が残っており、彼は一神教の矛盾を指摘し、自然と交信する等していたらしい。

　ギリシャ神話のオルフォイスは、詩や音楽の神とされている。オルフォイスの奏でる竪琴には、森の草木や動物たちも反応したという。

リルケ『オルフォイスへのソネット』第一集の十六歌

田口義弘訳（河出書房新社）

友よ　お前は孤独だ　なぜなら……
私たちは言葉と指さすことで
徐々に世界を自分のものにしてゆく
おそらくそのもっとも弱く危うい部分をも
誰が指で匂いを指し示せようか？
だが私たちをかつて脅した力の多くを
今もお前は感じ取っている
………お前は死者たちを知っている
そしてお前は呪文におびえる
いや実はともに私たちは堪えるべきなのだ
さまざまな断片や部分を
それが全体であるかのように

お前を助けることは難しいだろう

何よりもお前の心に

私を植えつけないように

たちまち私は成長してしまうから

だが私の主の手をみちびいて、私は彼にこう言いたい

「ほら　これが<u>毛皮をつけたエサウ</u>（※）です」と

（※）毛皮をつけたエサウ

『旧約聖書』より。長男（牧畜業、毛深い男）と次男（農業、毛深くない男）あり。長男エサウ、次男ヤコブ。

老父の臨終場面に同席できたのは、母親とヤコブ。エサウは仕事で外出中だった。次男ヤコブを愛する母は、次男に毛皮を付けて長男エサウを装わせ、父の財産を全て次男に譲渡させた。

「毛皮を付けたエサウ」とは、元来有資格者の毛深いエサウが、その上に毛皮を付けて、二重に有資格者であることを強調しているとのたとえである。

リルケ『オルフォイスへのソネット』第一集十六歌の解釈例（二例）

（解釈一）

私は魂で、あなたは精神なのだよ。しかしこの世には、私たちしかいないので、あなたも私も孤独なのだよ。

私たちは会話し、あなたは「知る」こと、「体験する」こと、

何者かで「在る」ことの順に発達している。

　この世は、「相対性のシステム」の基盤の上にある。全体と部分、現実と幻想、自分と自分でないものがなければ、何事も気づくことはできない。いまあなたは、さまざまな体験を通して、感じ取っている。そして、死を恐れ、どのように生きるべきなのか苦闘している。

　しかし私たちは、このシステムを受け入れるしかない。なぜなら、存在するすべてのものがバラバラに表現されていなければ比較はできず、自分を知ることができないからだ。

　しかし、あなたは、この状態を現実だと思い込んでおり、心を開いて私の声を聴こうとはしないので、真実を知ることは難しいだろう。

　あなたはこんな人生はもう嫌、生きたくないなどと言わないでほしい。そうすると、私の仕事がなくなってしまうから。そこで、私は神に向かって次のように言おう。「あなたの創った幻想の世界で、ひと（精神）は、いつでもどんなことからも学び、成長し続けていますよ」と。

（解釈二）
『友よ私たちはみな孤独なのです。

　私たちはみな、五感というそれぞれが有している違った色メガネで、世の中を見ることしかできません。

　五感では推し量れないものもあります。

　私たちは、見聞きした先人たちのことまで引き継いでいます。

21

今も私たちは、予想される死や孤独のような苦悩の世界に脅えています。

　それでも、私たちは耐えねばならぬのです。

　私たち一人ひとりは、全世界の中のたった一人の運命でしかないのです。

　それでも、全体に奉仕できているとの思いでいて下さい。

　一生をかけて役を演じ終えたら、私はあなたのことをオルフォイスの神に報告します。

　「ほら、彼はこのように、与えられた運命をしっかり演じましたよ。今は正真正銘、あなたと一つになりましたよ」と』

　※二つの解釈とも『色即是空』という東洋から出た思想と同じである。

　再び、夢に『ホイットマン』とあった。

　リルケの次は、ホイットマンだとのこと。リルケの二年後に示されたホイットマン。年代的には、ホイットマンの方が古い詩人である。

　しかし後に気づいたのだが、私にとって、リルケの方が先でなければならなかった。

　ホイットマンの詩の中に多く登場する言葉「あなた」「君」についてだが、どちらも特定の人ではなく、リルケのいう「鏡」や「世界内部空間」と同じものを示しているのだった。

　ホイットマンの詩から入ったなら、私はひどい勘違いをしたに違いない。夢は、二人の順序までも正しく教えてくれた。

ホイットマン（一八一九〜一八九二）

〔アメリカ、詩人、ジャーナリスト。詩集『草の葉』の作者〕

ニューヨーク州ロングアイランド生まれ。経済的理由で小学校を中退し、民主党の事務所で奉公を始める。雇用主の好意で、彼は巡回図書館の制度の利用ができるようになる。

徐々に事務所内で民主党の出版物の活字工、印刷工として働き始め、さらに保守党系の事務所へと移る（後にホイットマンは、若い時に二大両政党の主義主張を学ぶことができたこと、読書三昧の日々であったことを、大変貴重で感謝すべき体験であったと回想している）。

十五歳で自立。多数の機関誌へも投稿。さらに複数の印刷所を渡り歩き、一時、故郷の小学校で教えたこともある。

十九歳で古い印刷機、活字セットを購入し、自ら原稿を書き、印刷をし、週刊誌『ロングアイランダー』を馬で購読者に届けることもした。三十五歳までに自らの詩集『草の葉』（生涯加筆をつづけた）の構想ができ上がる。

三十六歳、『草の葉』の初版を発行。四十一歳〜四十七歳の南北戦争の中、彼は傷病兵のために献身的に介護活動をする（五年間は軍に雇われていた）。

この間の激務は、彼の後半生の体調に多大な悪影響を及ぼす。『草の葉』の加筆、出版、講演活動はずっと続けられた。

生涯独身であった。七十四歳で死亡。（ホイットマンを最初に日本へ紹介したのは、夏目漱石であった）

『リルケ』、『ホイットマン』らの後押しを得ながら、引き続

きスウィフトの『ガリバー旅行記』を調べたい。

（二）　スウィフトの人生観

・This is all according to the due course of things.

（和訳：これらは全て運命のなせるもの）

（第四部　十二章より）

・All animals had a title to their share in the production of the earth.

（和訳：誰もがこの地球上での役割を担っている）

（第四部　六章より）

◎リルケ

・全てはあれやこれやの　メタモルフォーゼ（超自然的な力で著しく変質したもの）である。

・最後には全てを受け入れなければならない。（リルケの神の定義は「全てを受け入れ、何ものも拒絶をしない存在」というもの）

◎ホイットマン

・All truth wait in all things.

（和訳：全ての中に真実あり）

・One phase and all phase.

（和訳：全ては表裏一体である）　　　（『草の葉』より）

◎木内鶴彦（一九五四〜　　　）

〔彗星探索家〕

・生き方は星空が教えてくれる。

・全てが関連し、かかわりのないものはない。

・木内氏は星の観測のため、山中で夜を過ごすが、ある夜一頭の熊と出合った。そして、熊に対し、（私などと違って）同じ山の仲間として「やあ、今晩は！」という対応をした。

　彼はマーキング方式で、熊に観測地点の立入り許可を得ようとした。熊もマーキングのチェックを始めたという。互いの間に信頼関係が出来上がると、後日熊は妻を伴って現れ、木内氏に紹介したという。

　氏は蛇に対しても友好的であった。蛇は真っ直ぐに氏の側に近寄ると、とぐろを巻いて、頭を氏の前に傾けてくる。いつものように頭をなでてくれとせがむという。

　　（全て彼の著書『生き方は星空が教えてくれる』から引用）

（三）　スウィフトは、ソクラテス（認識論）、プラトン（イデア論）らと同じ唯心論者

・Wherein he agreed entirely with the sentiments of Socrates, as Plato delivers them; which I mention as the highest honour I can do that prince of Philosophers.

　（和訳：スウィフトは古い哲学者たちを支持していた）

（第四部　八章より）

・The governor, at my request, gave the sign for Caesar and Brutus to advance towards us.

　I was struck with a profound veneration at the sight of Brutus; and could easily discover the most consummate virtue, the greatest intrepidity, and firmness of mind, the truest love of his country, and general benevolence for mankind in every lineament of his countenance. I observed with much pleasure, that these two persons were in good intelligence with each other; and Caesar freely confessed to me, that greatest actions of his own life were not equal by many degrees to the glory of taking it away.

　I had honour to have much conversation with Brutus; and was told, that his ancestor Junius, Socrates, Epaminondas,

　Cato the Younger, Sir Thomas More, and himself, were perpetually together; a sextumuirate to which all the ages of the world cannot add a seventh.

　（和訳：スウィフトはブルータスとかかわり、ブルータス、

先祖のユニウス、ソクラテス、エパメイノンダス、小カト、サー・トマス・モアら６名の他に、名誉在る人名を推薦することはできないとしたようだ）　　　　　　　　（第三部　七章より）

スウィフトは精神第一主義派であった。

プラトンの弟子であったアリストテレスは、師の死後「分子形成論」を唱え始めた。以後一〇〇〇〜一四〇〇年もの長期にわたり、アリストテレス派が支持されていた。

スウィフトは反アリストテレス派である。あらゆる事象は心因性であるとし、病気も精神が呼び寄せるものとした。

・Real disease, we are subject to many that are only imaginary for which the physicians have invented imaginary cures; ……

　　　　　　　　　　　　　　　　　　（第四部　六章より）

・……, with many disease of the head, and more of the heart.

　　　　　　　　　　　　　　　　　　（第三部　六章より）

スウィフトは、内科医と外科医との線引きをしており、外科医の方を信頼していた（ガリバーは外科医である）。内科医のさまざまな薬により、スウィフト自身、心にも体にも被害を受けたという記述が『ガリバー旅行記』中にもある）。

◎リルケ
・目に見えるもので不在のもの、目に見えないものの言葉を

つくることによらなければ、見えるものを救うことはできない

　（目に見えるものを支え、救うために、目に見えないものの言葉〔鏡〕をつくる必要がある）。

◎ホイットマン

・Sometimes how strange and clean to the soul, that all solid things are indeed but apparitions concept non-realities.

・All the things of universe are perfect miracles each as profound as any.

・You vapors, I think I have risen with you, moved away to distant continents, and fallen down there, for reasons, I think I have blown with you, you winds; You waters I have fingered every shore with you, I have run through what any river or strait of globe has run through.

◎長谷川潾二郎（一九〇八〜一九八八）
〔画家・小説家〕

・現実は精巧につくられた夢である。

　彼は作品を描くのに、大変な時間をかけたそうだ。描く対象物をしっかり眺めるうちに、「色即是空」「空即是色」という思想になられたからだろう。『猫』という絵が有名である。

◎デカルト

　『我思う　故に　我あり（Believing is Seeing.）』と唱えた。

私たちは『百聞は一見に如かず（Seeing is Believing.）』と教えられ、五感により確かめられたものを信じている。

　しかし、デカルトは全く反対の説を主張している。スウィフトもホイットマン、リルケも Believing is Seeing. 派である。

（四）　死について

　スウィフトは『死』に関しては肯定的な見方である。
　・死のように太古の昔から、今に至るまで在りつづけている
ものが悪いものである筈はない。

◎リルケ
　・生の中に死があることを誰も知ろうとしない。変化のある
度に、ゆっくりと死を味わう。幼少の頃から、経験から経験へ
と私の内部で苦しく展開してきたのは、ある「死」への考えです。
　・死は高められた生の法則を、非人間的な宇宙へと返すこと。
　・部屋の中（私が生の全てを体験した部屋、生を体験し、死
を準備した部屋）で聞いた鐘は、非常に透明だった。同じ鐘が、
その背後に余韻をきれぎれにひきつつ水の上をさまよい、出会
うのですが、互いに同じ鐘と認め合うことはない。私の中で持
続し、心を向けさせるのは死であり、甘く苦しい雫であるよう
にと私を追いつめる。
　経験から経験へと私の内部で苦しく展開してきたのは、死に
対する考えであった。

◎ホイットマン
　・I will show that nothing can happen more beautiful than death.
　・Did you think Life was so well provided for, and Death,
the purport of Life is not well provides for all Heavenly Death

provides for all.

（五）　スウィフトの名誉回復

　スウィフトは退職後の六十代、寄宿舎付きの小学校建設を計画し、実行していた。六十六歳で友人のジョン・ガイを、六十八歳でアルバスノットを、七十七歳でアレクサンダー・ポープを見送った。スウィフト自身、七十代半ばにはベッド中心の生活となった。

　ある日、彼は窓から見える木を指さして付き人に言った。

　『あの木は私に似ている。上の方から参るのだ』と。

　この発言について、多くのスウィフト紹介文の中に、「老いて痴呆になった」「狂死した」等と書かれている。

　『あの木は私に似ている。上の方から参るのだ』について、彼の名誉回復作戦を始めよう！

ホイットマン『草の葉』〈ぼく自身の歌〉より

　「おお　ぼくには分かる。すべての草が、つまりはもの言う舌であることが。そしてぼくには分かる。口蓋から萌え出たからには、いたずらに黙してはいけないことが」

リルケ『詩集』〈鳥たちが横ぎって飛ぶ空間は〉より

　「私たちの内部からひろがった空間が、事物を私たちのために言い換える。だから、お前のために、一本の樹を存在させるためには、樹の周りに内部空間を投げかけるがいい。お前の中に在る、その空間のうちから。そして、抑制で樹をつつむがい

い。樹は自分を限定しないからだ。お前の諦念の中へ移された形姿となって、初めて、樹が真実の樹となるからだ」

（イ）発言の前半部分『あの木は私に似ている。（上の方から参るのだ）』について

◎ギリシャ神話より
　ゼウス神は、誠実であった夫妻の死に際し、夫を「樫の木」に、妻を「科の木」に変えた。

◎リルケ
・自らを「白樺の木」という。
・詩集『オルフォイスへのソネット』は次のように始まる。
『そら　そこに一本の樹が立ち昇った
　おお　純粋な高昇よ！
　おお　オルフォイスがうたう！
　おお　耳の中の高い樹よ！　……』
・木のように動かず、起きたこと以外は何も望まない。

◎ホイットマン
・自らを「樫の木」という。
・Why are there trees I never walk under but large and melodious thoughts descent upon me?
　(I think they hang there winter and summer on these trees

and always drop fruits as I pass!)

・『がっしりした幹を持ち、枝と葉をそなえて、木々がそびえ屹立すること（たしかに、木々にはその一つ一つに何か木にとどまらぬものがある。何か生きている魂がある)』

・『ぼくはぶらつきながらぼくの魂を招く。ぼくはゆったりと寄りかかり、ぶらつきながら、萌え出たばかりの夏草を眺めやる。………

みどり葉と枯葉の匂い、黒ずんだ岩と浜辺の匂い、納屋のなかの干し草の匂い、渦巻く風に放たれたぼくの声が噴出させる言葉の響き、……

しなやかな大枝が揺れるとき、木々にたわむれる光と陰、………

せめてきょう、一日だけぼくのところにいてごらん。きっと全部の詩の起源が分かるから、………』

・『ルイジアナでぼくは見た　一本のカシが生い茂っているのを』

「ルイジアナでぼくは見た、

一本のカシが生い茂っているのを、

その木はひとりぼっちで立っており、

枝からは苔が垂れさがっていた、

仲間は誰もいないのに、

木は濃緑色の言の葉をいかにも嬉しげにそよがせていた、

おまけに粗野で、不屈で、元気いっぱいの立ち姿は、

ぼくにぼく自身を思い出させた、

　そのくせ、ぼくには不思議だった、

　身近に友もいないのに、どうしてひとりぼっちで嬉しげに、そよいでいることができるのか、

　だってぼくにはとてもむりだ、

　そこで、いくらかの葉のついた枝をぼくは一本折り取って、

　まわりに苔を少々からませ、それからそれを持ち帰って、

　ぼくの部屋の見通しのいいところに置いてみた。

　何もいまさら、枝を眺めて、たとえばいとしい友を思い出すにも及ぶまいが（ぼくが近頃もの思うときは、いつもほとんど友のことばかり）

　それでもぼくにはこの枝は、やっぱり不思議な一つの象徴、やっぱり、ぼくに男同士の愛を思い出させる

　そのくせ、それにあのカシが、

　ルイジアナの広い平原にひとりぼっちで輝きながら、

　生涯ひとりの愛する友もなく、

　現に嬉しげにそよいでいるのに、

　ぼくにはとうていあの真似ができぬ』

・『アメリカスギのうた』

　（『草の葉』より。チェーンソーで切り倒される、スギの心の叫びを聞きとり、詩にしたもの）

『苦難に耐えつつ喜びにも恵まれて、

生きぬいてきたわたしの生涯よ、

おお耐えがたきを耐えた大いなる喜び、

人間は気づいてもくれぬわが魂の強烈な喜びよ、

（言っておくがわたしにだとてわたしなりの魂はあり、

わたしにだとて意識が、自分というものが、それに全ての岩
や山にも地上のどんなものにもそなわっている）

わたしとわたしの兄弟たちにふさわしい生涯が与えてくれる
喜びよ、

わたしの寿命は尽きた、最後のときがきた、

それでも徒らに嘆くばかりで終わりはせぬ、

威厳ある兄弟たちよ、

与えられたいのちを堂々と生きたわたしたちだ、

大自然さながら満ち足りた思いに静かにひたされ、

溢れそうな喜びに黙したまま過ぎ去った日々、

わたしたちが努力を惜しまず得たいと

願ったその結実を喜び迎え、

彼らのためにその舞台を譲ってやる、

登場を予告されて既に久しい彼らのため、

さらに卓越した種族のために、

彼らもおのれの時間を堂々と生きるはずだ、

彼らのために、わたしたちは身を引こう、

彼らの中にわが身を託して、

あなたがた森の王たちよ、彼らの中に

この空と空気、これら山々の峰、シャスタやシエラバダが、

これら切り立った巨大な絶壁、

この眺望、峡谷、そのかなたのヨセミテが、

ことごとく彼らの中に吸収され、同化されることになる

アジアもどきの呪物なんかで顔色が青ざめることもなく、

ヨーロッパもどきの古い王家の修羅の館で、

鮮血に染まる定めも免れて、

（王位をめぐって殺人計画が交錯し、戦争と断頭台の臭気が
いたる所まで消えやらぬ場所などここにはない）、

まさにこの大自然の長く無害な陣痛から生まれ出て、

以来平和のうちに育てられた、

これらの処女地、西部の岸辺に連なる土地を、

今まさに極地となる新しい人のあなたに、

この新しい帝国を、あなたに約束されて久しいこの国土を、

わたしたちに保証し、あなたに捧げる

あなた深遠で不可思議な意図よ、

あなた普通人の霊を宿した男よ、

おのれ自身が唯一の支え、

法は定めても法に従うことはない万物の目的よ、

あなたに神聖な女よ、

生命と愛から生まれる全てのものの主人であり、

源泉であるあなたよ、

あなたアメリカの全ての莫大な物質の、

目には映らぬ精神的本質よ

（時代を次々と重ねつつ

生はもちろん死界においても働きつづけるあなたよ）、

ときには知らぬこともあり、知らぬことがさらに多いが、

『新しい世界』にまことの姿と形を与え、

それを『時間』と『空間』に適合させるあなた、

あなた深淵の中に身を潜め、

姿は隠れているが瞬時も活動をやめぬ、

ひそやかな国民的意志よ、

おそらくはおのれ自身を意識せぬまま、

つかの間の過ちや表面だけの動乱には迷わされず、

過去であれ現代であれ

常に執拗に求めつづけた目的であるあなた、

あなた、全ての信条、芸術、法令、文学の下で生き生きと遍在し、死滅することを知らぬ胚芽よ、

いざここにあなたの永遠の住居を築き、

どうかここに住みつきたまえ、

これらの地域全体を、

西部の岸辺に連なる国土を、

わたしたちに保証し、あなたに捧げる

あなたの寵児たる人間、あなたにそっくりの種族も、

ここでなら強く優しい巨木となり、

ここでなら大自然と釣り合うぐらいの背丈になれる、

ここでなら壁や屋根で囲まれもせず覆われてもいない広大で清浄な空間をのぼって行ける、

ここでなら嵐や太陽と一緒に笑い、

ここでなら自分のことを気にかけて、

自分自身を披露できる、(他人の処方なんかは気にもかけず)、

ここでなら自分の時間を生き尽くし、

幕が降りたらどうと倒れて、

最後はひっそり捨て石になり、

消えて　それで役に立てる』

◎西行（一一一八〜一一九〇）

〔法師、『山家集』〕

・生涯「桜の木」と交わりつづけた。

◎木に助けられた人々

（第二次世界大戦後、ソ連の地で強制労働させられた旧日本兵の体験、〔NHKラジオ〕より）

・収容所内の数名に厳罰が下り、夜の宿舎から追い出され、厳寒の冬の夜を過ごさねばならなくなった。

彼らは一本の大木の幹をとり囲み、互いに腕を組み輪になり、ピタリと幹に身を寄せて立ちつづけた。そして凍死を免れ、無事に朝を迎えることができた。

木の温もりや、木の気が彼らを助けたということだった。

◎宮沢賢治（一八九六〜一九三三）

〔作家、農業指導者〕

・『わたくしという現象は

仮定された有機交流電燈の
ひとつの青い照明です（あらゆる透明な幽霊の複合体）
風景やみんなといっしょに
せわしくせわしく明滅しながら
いかにもたしかに灯りつづける
因果交流電燈のひとつの青い照明です
（ひかりはたもちその電燈は失われ）
ここいらの樺の木は焼けた野原から生えたので
みんな大乗風の考えをもっている
にせものの大乗居士どもをみんな灼け』

（『春と修羅』より）

・『たしかに日はいま羊毛の雲にはひろうとして
サガレン（サハリン）の八月のすきとほった空気を
やうやく葡萄の果汁のやうに
またフレップスのやうに甘くはっかうさせるのだ
そのためにえぞにふの花が一そう明るく見え
松毛虫に食はれて枯れたその大きな山に
桃いろな日光もそそぎ
すべて天上技師 Nature 氏の
ごく斬新な設計だ
山の襞のひとつのかげは
緑青のゴーシュ四辺形
そのいみじい　玲瓏　のなかに

からすが飛ぶと見えるのは
一本のごくせいの高いとどまつの
風に削り残された黒い梢だ
(ナモサダルマプフンダリカサスートラ)』

（『春と修羅』より）

◎牧野富太郎（一八六二～一九五七）
〔植物学者（分類学）〕

　幼い時に両親を亡くし、小学校を中退。一人で山野の草木と過ごす。独学で植物の分類、新種の発見に貢献する。死後文化勲章を授けられる。

・自らを「草木の精」という。

・草木に対していれば何の憂鬱も煩悶も憤懣も不平もなく、常に光風霽月で、その楽しみいうべからず。まことに善いものが好きであったと一人歓び勇んでいるのです。

　従って敢えて世を呪わず、敢えて人生をば怨まず、何時も心の清々しい極楽天地に棲んでいるのです。

◎山口洋子（一九三三～二〇一四）
〔詩人〕

・木に尋ねるといつも教えてくれる。

・『樹教』を唱えた。

◎樹木医

　枯れそうになったり、弱っている木の幹に手を当て、耳を近づけて幹の中の心音（水が流れる音）等を調べ、木の内部の状況をつかみ、手入れや肥料を与えることで、木を活性化させたり、再び開花させる等する、樹木、植物の医者とも呼ばれる専門家。

◎樹木葬

　墓石の代わりに、故人の好きだった木を植える葬式（灰はその木の根に埋めている）。

◎森林墓地

　東京都でも先日式典が行われた。不特定多数の親類縁者のいない人たちの位牌や遺骨箱を、木の根元に掘った穴に数十人位ずつ埋める。これからの新しい形の墓地として、人々からの要望も多いという。

◎一本の木がつくる公平で平等な世界

　木の根元に立ち、上空を見上げると、そこには円形に広がった葉たちの並びがある。どの一枚も他の葉と重ならず、どの葉も太陽からの光を全面に受けることができていた。
　一本の木のくり広げる公平な円形世界があった。

地上は物質世界

精神世界

夢の中で一人、太い木々の中に立っていた私

◎スウィフトは、人は死後、外の物質世界から中の木へ、又、光源へ進むらしいと知った

　緑の木々に囲まれた中心部分は、私が夢でみたものである。

　スウィフトが老い、70代の時の病床でのことば、「私はあの木に似ている。上の方から参るのだ」を考え続けていた頃に見たものだ。

スウィフトは、死後は地球の円内のある木に移り、さらに上へ上へと行進しつつ光源（全体を治める霊？）へ行くという発言をしている。私たちはスウィフト同様に、死後も続きがあり、永遠なのだろう。

◎樹木の声

二十年以上も前、日本中を「風台風」と呼ばれるものが吹き荒れた。夜中に風音で目覚めた私は、いつもとは違う風音に気づいた。それは女性の悲鳴に近いものだった。

翌朝には風台風も治まり外へ出ると、そこに一本の木が横倒しになっていた。前の晩の悲鳴はやはり木のものだった。たしかに風の音とは異っていた。

（この台風は一九九一年〔平成三年〕台風十九号のこと。「りんご台風」とも呼ばれる）

◎梶井基二郎　（一九〇一〜一九三二）

〔作家〕

・桜の樹の下には屍体が埋まっている。

あの美しい桜のたたずまいにはきっと人がかかわっている。

◎芥川龍之介

・隅田川はどんより曇っていた。

彼は走っている小蒸汽の窓から向う島の桜を眺めていた。花を盛った桜は彼の目には一列の襤褸のように憂鬱だったが、彼

はその桜に、——江戸以来の向う島の桜にいつか彼自身を見出していた。

（『或阿呆の一生』より）

◎木の株と詩人

ドイツ、ワイマールの国民劇場前には、ゲーテとシラーの大きな銅像が建っている。

後ろに回って見ると、なぜだか二人の足元に、どっしりとした切り株のようなものが据えられている。木の株（くいぜ）、ゲーテもシラーも夫々の木の株から立ち上がり、生き、活動したらしい。

（青山七恵〔作家〕の『ねことくいぜ』より）

（ロ）発言の後半部分『（あの木は私に似ている）上の方から参るのだ』 について

スウィフトは自然と一つになり、自然と和解することで「完成への道」を目指していた。

・Nature, who worketh all things to perfection.

（第四部　六章より）

・They will have it that nature teaches them to love the whole species, and it is reason only that maketh a distinction of persons, where there is a superior degree of virtue.

（第四部　八章より）

・………that, nature is very easily satisfied; and, that neccesity is the mother of invention.

（第四部　十章より）

◎エネルギーは消えない

ドイツ人二名（マイヤー、ヘルムホルツ）により『エネルギー不滅の法則』も発表された。

◎神は自然の中に

イタリア人、ジョルダノ・ブルーノは、『神は人の心の中にも、自然のあらゆるものの中にも存在している』と唱えた。

◎日本人の自然観と神

日本にも古くから『八百万の神』という考えがあった。

アイヌ民族にも、自然界のあらゆるものの中に神が宿るという考えがあった。

◎リルケ

・自分自身の性質をあらゆる点から調べて、それを支配し、自身の仲間のために使用しなければならない。

・私たちは、いつも月の片面しか眺めることができない。

月の裏半球は、常に表半球を支えつづけていることを忘れて

はならない。

・「客観的事象」（世界外部空間）と「世界内部空間」は常に一対一に対応しており、ドラマはおのずと展開する。

◎ホイットマン

・They go! They go! I know they go. But I know that they go toward the best toward something.

（ホイットマンの something は時に、something great 又は something grand とされている）

ホイットマンのこの詩に関する、私が見た三つの夢があった。

①の夢

二人組の踊り手らしい人を眺めていた。二人は四〜五メートル離れ、手足と頭を忙しく動かしていた。

通常のダンスのようではなく、道化師のようでもなく「一体これは何だろう？」と思った。するとすぐに、『魂だ』と、声なき声が答えた。

私の知りたい魂ということだったので、真剣に二人を眺めていた。

やがて二人組が消え、目の前を左から右へと大集団が力強く移動して行く。スピードが速く、大集団の状況がつかめない。

心の中で「もっとよく見せて」と願うが、聞き届けられない。

ふと右手を見た時、西部劇映画で見たことのある幌馬車の後

47

部だけを認めることができた。

　やがて大集団の最後尾が、目前を過ぎた。すると初めの二人組が、大集団の後から踊りつつ合流する。二人のうち一人は、集団と同じ方向に向いて付いて行くが、もう一人は何と後ろ向きの姿勢で踊りつつ合流した。大集団と二人組が共に右手奥に消えてしまった時、そこに眩（まばゆ）い光源のような明るさが広がった。

②の夢

　三本の道が、前方へと伸びている。どの道にも人々が、前へ前へと同じ歩みで行進している。

　私は左端の道を、後の方について進んでいた。周りの人々の後ろ姿しか見られないが、服装から男の人も女の人もいることはわかる。

　左後方から一人の女性が、猛スピードで右前方へぬけようとしている。女性は頭に白いキャップをかぶり、白い割烹着（かっぽうぎ）を身につけ、右手には片手鍋を持っている。

　私は一度も後ろを振り返ってはいないのに、その女性は昔、机を並べたことのある級友だとわかった。

　彼女がちょうど私の直前を走り去る時、思わず「Mさん!!」と声をかけた。しかし、彼女は猛スピードのまま右奥へと消えてしまった。私は周りと同じペースの歩みをしながら、彼女の回想を始めた。

　「Mさんは相変らず真面目！　上から下まで完璧な身支度をしていた！　何か急ぎの用でもできたのだろうか？　うかつな

私は『Mさん』と旧姓で呼びかけてしまった。みんなはゆっくりなペースで一本の道を行くのに、Mさんは三本の道を全て網羅して、走って行ったではないか！」

すると、左前方にこちら向きに立っているMさんがいた。割烹着でなく美しいワンピース姿であった。

私は前進しつつMさんとすれ違うのだが、一言も言葉が発せない。Mさん側も私に何か伝えたそうだが、何も言わない。

二人は無言のまま行き過ぎてしまった。（夢終了）

③の夢（再登場）

私は、広大な球の内側に一人で立っている。この球は地球らしい。

周囲には、一抱えもある太い幹の木ばかりが、それぞれ球の中央に向かって林立している。巨大な木の上の方はとても見ることができないが、どの木もみな同じ高さであるとわかって（知らされて）いた。中央部分を見通すと、そこは眩い光源であった。

①②③の夢より

私たちはどうも最初から、決められた人生のコースを、一定の速度で淡淡と歩くしかないらしい（夢の後、同じ歩くなら中道を歩いていたかった等と思ったが……）。

③の夢については、リルケの「世界内部空間」を表わしているようである。又、スウィフトの、七十代半ばでの誤解された発言（死後は木の幹の方へ移り、幹の中を上へ上へと進み、や

がて光源へ到達する、という象徴の発言）の説明ではないかと思われる。

　最近「樹木崇拝」、「樹木葬」について聞いた。③の夢によれば、正しい埋葬の方法は樹木葬ではないかと思われる。

　吉野　弘（一九二六～二〇一四、詩人）によれば、「私は生まれた」という英語表現"I was born."は、過去形でも、完了形でもなく、何と受身形であるという。受身形であることに注意をしなければならないとのこと。

　私たちはみな、生まれる国、時代、両親、性別、自らの性格全てに至るまで、何一つ自身では選択できぬままに生まれ、そして生かされていると考えられる。しかしこれには自らも全く気づいていない意味があるらしく、眠っていても心臓は脈打ち、血管には赤い血が逆流もせずに流れつづけている。体調不良になれば、体内で夫々の部位が何とか連携をとり、助け合っているようである。私たちの気づかない連携プレー、バトンタッチリレーを信頼したい。

　ここで再び、ホイットマンに補って貰うことにする。

・I know not how I came of you and I know not where I go with you, but I know I can well and shall go well.

（目的地はやはり光源と考えられる）

・Strong upon me, the life that does not exhibit itself, you contains all the rest.

（毎日新聞にこのような川柳があった。『裏という　漢字に表

かくれてる』)

・There is no better than it and now.

（古代ローマの時代、皇帝ネロの教育係をし、後にネロに仕えたセネカという哲学者がいた。紆余曲折の末、最後はネロに自殺を強いられた。名誉も財産も捨て、命まで失う状況になったが、セネカは『今という時間に全てがある』と気づき平穏のうちに生命を絶つことができたという）

・What is called good is perfect, and what is called bad is as just as perfect.

　スウィフトのラストの言葉といわれている『あの木は私に似ている。上の方から参るのだ』が、狂言ではなかったことがおわかりいただけただろうか？　それは未来永劫に向けた私たちへのメッセージであったのだ。

（六） スウィフトからの後押し

　スウィフトは『ガリバー旅行記』出版について、従兄弟のシンプソンに書簡を送っている（どうも私たち読者へのコメントのようである。その一部より）。

　・And, it must be owned, that seven months were a sufficient time to correct every vice and folly to which Yahoos（※）are subject; if their natures had been capable of the least disposition to virtue or wisdom; ……

　（※）インターネットでおなじみの "Yahoo" の名称は、『ガリバー旅行記』が源のようである。Yahoo は原人（猿人）として描かれている。
　私たちは原人（猿人）から進化や突然変異をくり返しながら、今の状態になったと習った。しかし十数年前、あるテレビで猿の一集団（十四～十五匹）を追跡した番組を見た。その中の一匹は、常に集団から四～五メートル離れていた。その猿がカメラに大写しにされると、意外な事実が明らかになった。母猿らしいその猿が、既に死亡したらしい赤ちゃん猿をしっかり腕に抱え、それを胸に押し当てていたのだった。
　グループからは、一匹また一匹と母猿に近寄って来ていた。「一緒に食事をするように」と誘っているらしい。しかし母猿に追い返されてしまう。番組の最後では、母子猿はやがて集団

から姿を消したということだった。

　後日、報道班は、子猿をしっかり胸にしたままの母猿の死体を見つけたそうだ。私はこのことに、深く反省させられた。

　同じ立場だったら、私は一体どのように振舞うだろうか？一時的には亡くなった子を抱き、涙するも、やがて薄情にも手放し、葬儀の用意にかかる。精進料理もパクつく。母猿の弔い方法に比べて、何とも軽卒そのものである！

　Yahoo の方が優れていたのだ！　Yahoo より退化している私が、『ガリバー旅行記』読後七ヶ月で、人間的にも立ち直れるとは思えなくなった。少くとも七ヶ月では無理である！　七年、いや七十年かかるかもしれない。もしかして、七百年?!

(七)『ガリバー旅行記』の日本版

『ガリバー旅行記』の日本版、それは芥川龍之介の『河童』である。スウィフトが馬と人とを比べたように、芥川龍之介は河童と人とを比べつつ、人の在り様を導き出していると思われる。その中の二例を上げてみたい。

(A) 河童の国の哲学者マッグの『阿呆の言葉』より

・阿呆はいつも、彼以外のものを阿呆であると信じている。

・我々の自然を愛するのは、自然は我々を憎んだり嫉妬したりしない為もないことはない。

・最も賢い生活は、一時代の習慣を軽蔑しながら、しかもその又習慣を少しも破らないように暮らすことである。

・我々の最も誇りたいものは、我々の持っていないものである（しかし、ホイットマンは『憧れは既に所有である』と書いている）。

・何びとも偶像を破壊することに異存を持っているものはない。同時に又、何びとも偶像になることに異存を持っているものはない（しかし偶像の台座の上に安んじて坐っていられるものは最も神々に恵まれたもの、――阿呆か、悪人か、英雄かである）。

・我々の生活に必要な思想は、三千年前に尽きたかも知れない。我々は唯、古い薪に新しい炎を加えるだけであろう（スウィフトの支持する哲人は、三千年前のソクラテス、プラトンらで

ある）。

　・我々の特色は、我々自身の意識を超越するのを常としている。

　［スウィフトの持論は、

　"Necessity is the mother of invention."］

　［ホイットマンの持論は、

　"I will show that whatever happens to anybody, it may be turn'd to beautiful results."］

　・幸福は苦痛を伴い、平和は倦怠を伴うとすれば、――――？

　［スウィフトの持論は、

　『不幸は天から授けられた最大の賜物である』］

　［ホイットマンの持論は、

　"The trial great, the victory great."

　"Most desperate, most glorious."］

　［私たちは幸福や平和を追求するためには、苦痛や倦怠心を体験せねばならない運命にあるらしい。］

　・自己を弁護することは、他人を弁護することよりも困難である。疑うものは弁護士を見よ。

　・驕誇、愛欲、疑惑――――あらゆる罪は、三千年来、この三者から発生している。同時に又恐らくは、あらゆる徳も。

　［スウィフトの持論は、

　"Nature, who worketh all things to perfection."］

　　　　　　　　　　　　　（『ガリバー旅行記』第四部　六章より）

　・物質的欲望を減ずることは、必ずしも平和をもたらさない。

我々は平和を得る為には、精神的欲望も減じなければならぬ。

　［スウィフトは唯心論者であった。］

　［鴨長明（一一五五〜一二一六）は『方丈記』に、「それ三界はただ心一つなり」と記す。］

　・我々は人間よりも不幸である。人間は河童ほど進化していない。

　［スウィフトは、人間社会よりも馬の国に永住したいと願いつづけた。］

　・成すことは成し得ることであり、成し得ることは成すことである。畢竟我々の生活はこう云う循環論法を脱することは出来ない——即ち不合理に終始している。

　［スウィフトの持論は、

"This is all according to the due course of things."］

　　　　　　　　　　　（『ガリバー旅行記』第四部　十二章より）

　［ホイットマンの持論は、

"All is a procession. The universe is a procession with measured and perfect motion."］

　・若し理性に終始するとすれば、我々は当然我々自身の存在を否定しなければならぬ。理性を神にしたヴォルテエルの幸福に一生を了ったのは即ち人間の河童よりも進化していないことを示すものである。

　(B)　河童の詩人トックの詩

『椰子の花や　竹の中に

仏陀は　とうに眠っている
路ばたに枯れた　無花果と一しょに
　　基督も　もう死んだらしい
しかし　我々は休まねばならぬ
　　たとい芝居の背景の前にも
その又　背景の裏を見れば
継ぎはぎだらけのカンヴァスばかりだ！』

　芥川流（スウィフト流）の反語表現の詩であり、本意は反対
の意味であろう（つまり、トックの詩は次のようになる）。

『椰子の花や　竹の中に
　　仏陀は　まだ生きている
路ばたに生えている　無花果と一緒に
　　キリストも　まだ生きている
だから我々も　行進し続けなければならない
たとい、芝居の背景の後であっても
その背景の表を見ると
全体が全て　一枚につながっている連続絵になっていた』

［この詩はスウィフトの、

・They will have it that nature teaches them to love the whole
species, and it is reason only that maketh a distinction of persons,
where there is a superior degree of virtue.

につながる。]

リルケの、

・あれやこれやのメタモルフォーゼ]

［ホイットマンの、

・ All truth wait in all things.

・ One phase and all phase.

・ Object gross and unseen soul are one. (one = en-masse)

につながる。]

　芥川龍之介は、表と裏とを同時に察知できたようである。彼の作品から、両面を見ている例を眺めてみたい。

　◎「敏感な」という表現は、「臆病な」という面を含んでいるという。

　◎「当代の麒麟児」という誉め言葉に、気を悪くしたという。（麒麟児に、誉め言葉以外の意味があるとは？）

　◎彼は、師である夏目漱石の漢詩を見て、最大級の誉め言葉で表現した。

「気違い染みた天才である」と（天才と気違いは紙一重とも書いている）。

　◎「僕は今、最も不幸な幸福の中に暮している」

（『或阿呆の一生』より）

　◎「この友だちの孤独の、──軽快な仮面の下にある孤独の

58

人一倍身にしみてわかる」

（『或阿呆の一生』より）

◎「互いに愛し合うものは苦しめ合うのかを考えたりした」

（『或阿呆の一生』より）

◎「彼は巻煙草に火もつけずに　歓びに近い苦しみを感じていた」

◎「誰よりも民衆を愛した君は

　　誰よりも民衆を軽蔑した君だ」

（『或阿呆の一生』より）

◎「誰よりも理想に燃え上った君は

　　誰よりも現実を知っていた君だ」

（『或阿呆の一生』より）

◎「神々に近い　我の世界へ彼自身を解放した。　彼は何か痛みを感じた。が、同時に又　歓びも感じた」

（『或阿呆の一生』より）

しかし彼は最後は、このように伝えてくれた。

「あらゆる人の赦さんことを請ひ、

　あらゆる人々を赦さんとするわが心中を忘るる勿れ」

（『遺書』より）

芥川龍之介は『いろは歌』についても、「人の全てを表わしている」と示してくれた。

『 色は匂へど　散りぬるを

　　我が世誰ぞ　常ならむ

　　有為の奥山　今日越えて

　　浅き夢見じ　酔ひもせず 』

　『いろは歌』はスウィフトの“Public Good”の思いにもつながる。

　スウィフトの後押しの『いろは歌』であった。

　彼（芥川龍之介）もスウィフトの最大の理解者であった。

おわりに

　十三世紀から十五世紀にかけ、ヨーロッパではルネサンス運動という大きな流れがあった。その代表的思想家にオランダのエラスムスがいた。エラスムスはイギリスに渡り、トマス・モアと親しく交流し、『愚神礼讃』を著した。モアも『ユートピア』を著した。

　スウィフトはエラスムス、トマス・モアの支持者であったが、モアが後にカトリック教会により刑死させられたことにこだわり続けた。比喩や隠喩に満ちた『ガリバー旅行記』の形で人間社会に対する警鐘を鳴らし続けることにした。三百年後の今日にも十分に適用されねばならないメッセージに驚く。彼自身の考案した墓碑銘中の

　『もしできることなら　彼を真似てくれ』は私には重かった。

　どの時代の、どの国に生きようとも、全ての人がみなそれぞれの定められた役目を演じているようである。スウィフトの強い想いを受け、どのような事象も前向きに受けとめたい。

　全ての人に、みな異った役割があり、全ての人はつながっているという。私たちは前進する旅の途上にあるという。数多くの修羅場を潜りぬけてきたスウィフトだからこその到達世界のようである。死の直前まで冴え渡っていたことも認められた。

　『ガリバー旅行記』が世に出てそろそろ三百年。スウィフトに対する感謝を新たにしたい。

　"Public Good"のためにとの思いを、バトンタッチしてゆき

たい。

《　参考文献　》

1　　『リルケ詩集』　　富士川英郎訳
　　　　　　　　　　　　新潮文庫
2　　『リルケ書簡集』　ライナー・リルケ
　　　　　　　　　　　　国文社
3　　『草の葉』　　　　W・ホイットマン
　　　　　　　　　　　　（酒本雅之訳）
　　　　　　　　　　　　岩波文庫
4　　『河童』他　　　　芥川龍之介
　　　　　　　　　　　　岩波文庫
5　　『春と修羅』　　　宮沢賢治
　　　　　　　　　　　　青空文庫
6　　『夢分析入門』　　鑪　幹八郎
　　　　　　　　　　　　創元社
7　　『生き方は星空が教えてくれる』
　　　　　　　　　　　　木内鶴彦
　　　　　　　　　　　　サンマーク出版
8　　リルケ「オルフォイスへのソネット」
　　　　　　　　　　　　（田口義弘訳）
　　　　　　　　　　　　河出書房新社

（その他）

明窓出版

ガリバー旅行記　三百年目の真実

令和2年7月20日　初刷発行

著　者　　田村　明子

　発行者 ── 麻生 真澄
　発行所 ── 明窓出版株式会社
　　　　　〒164-0012 東京都中野区本町 6-27-13

　　　　　電　話　（03）3380-8303
　　　　　FAX　（03）3380-6424
　　　　　振　替　00160-1-192766

　印刷所 ── 中央精版印刷株式会社

2020 © Akiko Tamura Printed in Japan
ISBN978-4-89634-415-8

著者プロフィール ─────────────

田村 明子　Akiko Tamura

昭和十七年（一九四二年）中国で生まれ、五歳の時に日本に引き揚げ。六十歳すぎから、マレーシアに住んでいます。